ERSTE ELI LE

Jane Cadwallader

Oma Fix
und die kleinen Wikinger

Illustrationen von Gustavo Mazali

2 Daniel, Luise und Alex machen mit Mama und Papa einen Ausflug. Sie sehen sich ein Wikingerhaus an. Auch Oma Fix ist da! Der Fremdenführer spricht und spricht.

Der Fremdenführer spricht und spricht und spricht. Oma Fix nimmt Alex bei der Hand.

Wir gehen an den Strand.

Danke, Oma Fix!

Am Strand steckt Oma Fix die Hand in ihre
kleine, gelbe Tasche. Was nimmt sie heraus?

Oh! Es ist ein Ball!
Oma Fix schläft ein wenig. Daniel, Luise und Alex spielen mit dem Ball. Jetzt langweilen sie sich nicht mehr!

Oh! Wohin fliegt der Ball?

Die Kinder laufen in die Höhle und suchen den Ball. Sie können ihn nicht finden, aber … plötzlich sehen sie einen Jungen.
Oh! Es ist ein Wikingerjunge! Hört euch sein Gedicht an.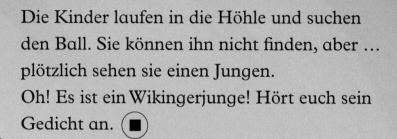

▶ 3 *Arm, Hand, Finger!*
Ich bin ein kleiner Wikinger,
Kopf, Gesicht, Mund,
mein Wikingerball ist rund.
Zehe, Fuß, Bein,
wollen wir Freunde sein? ◼

Ja, gerne!

Und hier sind zwei Wikingermädchen!
Hört euch ihr Gedicht an.

5 *Arm, Hand, Finger!*
Wir sind kleine Wikinger,
Kopf, Gesicht, Mund,
unser Ball ist rund.
Zehe, Fuß, Bein,
wollen wir Freunde sein?

6

Gala schlägt den Ball. Alex läuft los, er will den Ball fangen.

Oje! Alex stößt gegen den Felsen und stürzt. Er bleibt im Sand sitzen und sagt plötzlich:

Huch! Dieser Felsen hat ein Auge!

Die Kinder schauen den Felsen und das Auge an.
Ist es wirklich ein Felsen?

Gerda hat eine Idee! Sie erklärt ihre Idee den anderen Kindern.

Die Kinder bitten Oma Fix
um ein Seil.

Seht mal hinter
den Felsen nach.

Oma Fix steckt die Hand in ihre kleine, gelbe
Tasche. Was nimmt sie heraus?

OH! Einen großen, weißen Vogel … und ein langes, gelbes Seil!

Der große, weiße Vogel gibt
den Kindern das Seil.

Jetzt
brauchen wir
ein Schiff.

Seht mal! Dort
ist ein Schiff!

Luise und Erik gehen mit dem Seil zum Schiff. Erik befestigt das Seil an der Schwanzflosse des großen Wals. Daniel und Gala befestigen das lange, gelbe Seil an der Schwanzflosse des Babys.

Die Wal-Mama zieht und zieht. Die Kinder
ziehen und ziehen. Auch der kleine Alex hilft.
Auch die alte Oma Fix hilft. Auch der große,
weiße Vogel hilft!

Eins,
zwei,
drei!

Bis das Wal-Baby ...

PLATSCH ... endlich wieder im Wasser ist.
Daniel, Luise, Alex und die kleinen Wikinger
freuen sich sehr! HURRA!!!
Oma Fix sieht auf die Uhr.
Es ist Zeit, zurückzugehen!

Die Kinder gehen zu ihrer Mutter.
Der Fremdenführer spricht und spricht.
Er hält etwas in der Hand.

Wir wissen nicht, was das ist.

Das Wal-Baby schwimmt mit seiner Mutter im Meer. Danke, Oma Fix! Danke, Kinder! ■

Spielen & Lernen

1 Welche dieser Figuren kommen im Buch vor? Schreibe ihre Namen auf.

1 _____   2 _____

3 _____   4 _____   5 _____

6 _____   7 _____

8 _____   9 _____   10 _____

2 Setze die beiden Gedichte zusammen.

_____   _____

_____   _____

_____   _____

_____   _____

_____   _____

_____   _____

Zehe, Fuß, Bein,

mein Wikingerball ist rund.

wollen wir Freunde sein?

unser Ball ist rund.

Ich bin ein kleiner Wikinger,

Zehe, Fuß, Bein,

Arm, Hand, Finger!

Kopf, Gesicht, Mund,

Wir sind kleine Wikinger,

Kopf, Gesicht, Mund,

Arm, Hand, Finger!

wollen wir Freunde sein?

3 Schreibe die Wörter unter das richtige Bild.

Seil · Schwanzflosse · Felsen · Sand ·
Vogel · Wal · Strand

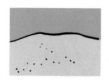

1 _____ 2 _____ 3 _____ 4 _____

5 _____ 6 _____ 7 _____

4 Setze die Wörter aus Übung 3 in die Sätze
ein. Du darfst die Wörter auch mehr als
einmal verwenden.

Der große **1** _____ zieht, die Kinder ziehen.

Das **2** _____-Baby ist wieder im Wasser. Hurra!

Der große, weiße **3** _____ gibt den Kindern
ein **4** _____.

Am **5** _____ sieht Alex einen **6** _____ mit
einem Auge!

Der **7** _____ liegt im **8** _____.

Sie befestigen das **9** _____ an der
10 _____ des großen Wals.

30

5 Schreibe die Wörter unter das richtige Bild. Suche im Internet nach Informationen und beantworte die Fragen mit Richtig (R) oder Falsch (F).

Langhaus · Spielzeug · Ball · Hut ·
Schulzimmer · Langschiff

1 _____   2 _____   3 _____

4 _____   5 _____   6 _____

	R	F
1 Die Häuser der Wikinger heißen Langhaus.	☐	☐
2 Wikingerkinder gehen zur Schule.	☐	☐
3 Die Schiffe der Wikinger heißen Langschiff.	☐	☐
4 Wikingerkinder spielen mit Spielzeug.	☐	☐
5 Die Wikinger tragen besondere Wikingerhüte.	☐	☐
6 Die Wikinger spielen Fußball.	☐	☐

6 Was gefällt dir an der Geschichte am besten?
Zeichne es und schreibe einen Satz dazu.

7 Gefällt dir die Geschichte? Zeichne dein Gesicht.

= Die Geschichte gefällt mir sehr gut.

= Die Geschichte gefällt mir gut.

= Die Geschichte gefällt mir
ziemlich gut.

= Die Geschichte gefällt mir nicht.